ᐊᐅᓚᓃᑦ
AULANIIT
ACTIONS

ᑎᑎᖅᑐᒐᖅᑐᖅ
ᐋᒪᓐᑕ ᓵᓐᑦᓚᓐᑦ

TITIQTUGAQTUQ ILLUSTRATED BY
Amanda Sandland

ᐃᒃᓯᕚᖅᑐᖓ.

Iksivaaqtunga.

I am sitting.

ᓇᖏᖅᑐᖓ.

Nangiqtunga.

I am standing.

ᕿᒡᒋᖅᑐᖓ.

Qiggiqtunga.

I am jumping.

ᐱᓱᒃᑐᖓ.

Pisuktunga.

I am walking.

ᐅᓪᓛᒃᑐᖓ.

Ullaktunga.

I am running.

Nunavummi